UNA GUÍA PASO A PASO

MANUAL DE
ORGANIZACIÓN DE
BODAS

Coordinación: **Shanti Lesur**

EDITORIAL TRILLAS

México, Argentina, España
Colombia, Puerto Rico, Venezuela ®

Catalogación en la fuente

Lesur, Shanti
    Manual de organización de bodas : una guía paso a paso -- México : Trillas, 2014.
    70 p. : il. col. ; 27 cm. -- (Cómo hacer bien y fácilmente)
    ISBN 978-607-17-1863-1

    1. Etiqueta de bodas. I. t. II. Ser.

D- 392.5'L173m   LC- GT2665'L5.5

División Administrativa,
Av. Río Churubusco 385,
Col. Gral. Pedro María Anaya,
C. P. 03340, México, D. F.
Tel. 56884233, FAX 56041364
churubusco@trillas.mx

División Logística,
Calzada de la Viga 1132,
C. P. 09439, México, D. F.
Tel. 56330995
FAX 56330870
laviga@trillas.mx

Tienda en línea
www.etrillas.mx

Miembro de la Cámara Nacional de la Industria Editorial
Reg. núm. 158

Primera edición, enero 2014
ISBN 978-607-17-1863-1

Impreso en México
Printed in Mexico

ÍNDICE DE CONTENIDO

INTRODUCCIÓN

EL COMPROMISO

PLANEACIÓN
DE LA BODA

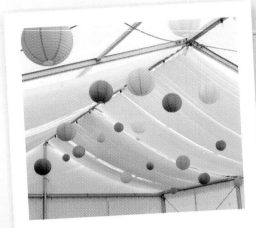

PLANEACIÓN
DE LA BODA   13

CALENDARIO Y LISTA
DE ACTIVIDADES   63

Introducción

La boda es un rito con el que se solemniza el casamiento de una pareja. Practicado en la mayoría de las religiones y culturas del mundo, puede ir desde un festejo de varios días con cientos de invitados y participantes, hasta la sencillez de un matrimonio civil en un juzgado.

{ EL AMOR SÓLO EXISTE CUANDO DOS PERSONAS SE AMAN }

Cualquiera que sea su tamaño, una boda siempre es una fiesta en la que los cónyuges se hacen votos o promesas recíprocas y dan a conocer a la sociedad que, a partir de ese momento, forman un matrimonio, con muy diversas y profundas implicaciones económicas, sociales y sexuales para la pareja.

Boda, matrimonio y casamiento son tres palabras con las que se designa este festejo. Boda quiere decir voto, promesa, fiesta, gozo y alegría. Matrimonio sugiere que, cuando se efectúa, una mujer puede volverse madre. Casamiento viene de casa e implica establecer una nueva familia en una casa diferente. Finalmente, esposo es el que promete y garantiza sus promesas.

Por eso, de todas las celebraciones y festejos familiares, la boda es la que tiene más relevancia y es el rito más complicado en el que participan los novios y las dos familias juntas, con sus amistades, para hacerla más solemne y a la vez alegre.

Preparar una boda puede ser una actividad placentera, interesante y divertida si se planea bien, con tiempo, sabiendo con anticipación todo lo que hay que hacer y con cuánto se cuenta; o puede ser una experiencia desgastante, llena de dolores de cabeza, si se acomete desordenadamente y a última hora.

Este capítulo está dedicado a describir el rito de una boda en nuestro país, principalmente dentro de una familia católica, para que los novios y sus familias disfruten plenamente su preparación. Las bodas de otras religiones cristianas son bastante similares a la católica, en tanto que la ceremonia de la boda judía, de la que derivan todas las cristianas, tiene algunas diferencias, pero de ellas no se tratará en este manual.

La planeación cuidadosa de una boda le permitirá establecer un equilibrio entre todo lo que quiere hacer y la cantidad de dinero del cual dispone.

Es más, una planeación correcta hará que la boda cueste menos que si no la hiciera.

Como cualquier fiesta, una boda cuesta. Y cuesta más porque es una fiesta muy especial, con muchos ritos, convenciones y formas que guardar. Todo el rito completo de principio a fin puede valer mucho dinero, casi una fortuna, pero también puede cumplir el mismo rito de manera muy económica, ajustada a los recursos de los que cada pareja y sus familias disponen.

El compromiso

Tradicionalmente, el compromiso del matrimonio se establece cuando el novio pregunta a la novia si desea casarse con él y ella responde que sí.

El compromiso matrimonial se formaliza en el momento en que lo saben las dos familias. Primero la novia lo avisa a sus padres, luego el novio a los suyos. Si los padres de la novia ya conocen al novio, el anuncio lo pueden hacer juntos, pero si aún no lo conocen es conveniente que ella lo presente antes de la petición de mano.

{ EL COMPROMISO DIVIDE LAS PENAS Y MULTIPLICA LAS ALEGRÍAS }

Petición de mano

La petición de mano o petición en matrimonio es la manera de formalizar el compromiso. Consiste en que los padres de la novia invitan a cenar a su casa al novio y a sus padres. En esta reunión, en la que pueden estar presentes los familiares más allegados a la novia, el novio y sus padres, hacen la petición formal de la mano de la novia. Después, el padre de la novia hace un brindis por la pareja.

Anillo

Si no se ha hecho antes, durante esta reunión el novio obsequia a la novia el anillo de compromiso que ella llevará a partir de entonces en el dedo anular de la mano izquierda, como una costumbre que viene de la antigua Italia, donde simbolizaba el pago que el novio hacía por la novia.

El anillo de compromiso es una sortija engarzada con una sola piedra, usualmente un diamante, aunque algunos novios deciden prescindir de un gasto tan costoso y lo sustituyen por un anillo más económico, con un topacio o una aguamarina.

Anuncio de la boda

Además del obsequio del anillo, durante la petición de mano también se acostumbra un intercambio de pequeños regalos entre el novio y la novia.

Después de haber tomado la trascendente decisión de comprometerse en matrimonio, es natural que los novios quieran contarlo a todo el mundo. Sin embargo, es más conveniente decirlo primero a las personas que les son más importantes a nivel sentimental, y después a las amistades y a los compañeros de trabajo.

Si el novio o la novia tienen **hijos de un matrimonio anterior**, se les debe informar de la boda de inmediato, pues no es conveniente que se enteren por otra persona. Un nuevo matrimonio puede ser una experiencia difícil para los niños, que necesitan un gran apoyo para disipar el miedo, a lo que puede contribuir el involucrarlos en la organización de la boda.

Fecha

Generalmente es en la reunión para la petición de mano cuando se define la fecha tentativa para la boda. Debe ser un día en que puedan asistir los seres más queridos.

Si no hay un motivo por el cual casarse rápido, lo mejor es hacerlo con tiempo. Lo ideal es un año de anticipación, pero seis meses pueden ser suficientes.

También puede prepararse una boda en cuatro meses, pero siempre se andará con prisa y se corre el riesgo de no disponer de tiempo para hacer tantas cosas o se pueden olvidar algunos detalles.

Es de esperar que todo funcione a la perfección, que el vestido quede en la primera prueba y todo lo demás esté a tiempo. Pero nunca faltan imprevistos, como que la florista resultó informal o que los zapatos aprietan, de modo que es mejor tener siempre un poco de holgura para corregir lo que ande mal.

NOVIEMBRE

14	Lunes		
15	Martes		
16	Miércoles		
17	Jueves		
18	Viernes		
19	Sábado	*Boda*	
20	Domingo		

Ruptura del compromiso

En caso de que el compromiso se rompa, la novia debe devolver el anillo al novio y ambos regresar los regalos que hayan recibido, así como avisar a los parientes y amigos. Si ya se hubieran entregado algunas participaciones, será necesario mandar una nota escrita informando de la cancelación del compromiso. Lo mismo sucede en caso de la muerte de alguno de los prometidos.

Antes de decidir la fecha, es importante tomar en cuenta el **clima**. La temporada de lluvias es un momento terrible para hacer una boda. Cuando el tiempo es muy caluroso conviene hacerla de noche, y cuando es muy frío, de día.

La **fecha definitiva** de la boda se define una vez que se haya puesto de acuerdo con las personas más allegadas para que puedan asistir, y cuando se conozcan las fechas libres del juez, la iglesia y el salón de fiestas.

Planeación de la boda

En los preparativos de la boda quienes más participan son los novios y los padres de la novia, que tradicionalmente pagan la mayor parte de los gastos del festejo. En los preparativos de la boda se toman en cuenta las opiniones, experiencias, consejos e ideas de la familia y de otras personas. Esto servirá para tener una idea más amplia de todo lo que se necesita. Pero si algún pariente quiere tomar decisiones, hay que conservar la calma, escuchar y recordar que la última palabra es la de los novios.

[NO IMPORTA EL TIEMPO QUE PASE, SINO LO QUE PASE EN ESE TIEMPO]

Carpeta de trabajo

Para planear bien la boda se requiere mucha organización. Se recomienda tener una carpeta grande de tres argollas con hojas rayadas, 12 separadores de plástico y 12 bolsas de plástico para carpeta.

Escoja una carpeta que realmente le guste, pues será su compañera durante meses y una herramienta excelente para mantenerse organizado y en calma.

En las bolsas de plástico guarde todo tipo de catálogos, muestras, hojas de revistas, etc., ordenándolos en la sección correspondiente.

PRESUPUESTO

Primero hay que decidir el estilo de boda que se quiere tener, puede ser una boda muy formal, semiformal o informal.

Debe saber con cuánto dinero cuenta. Tradicionalmente son los padres de la novia quienes pagan la boda, pero actualmente la familia del novio y el novio mismo ayudan también. Sin embargo, todo depende de la capacidad económica de los padres y de su voluntad para contribuir a la boda de sus hijos. Otras veces son los mismos novios los que afrontan los gastos ayudándose mutuamente.

En la sección de presupuesto, la primera de su carpeta de trabajo, debe ir el costo de cada uno de los servicios que se hayan elegido, ya sea tentativa o definitivamente, para poder ir sumándolos y cotejándolos con el dinero del que dispone, a fin de mantener un equilibrio entre ambas cantidades.

LISTA DE INVITADOS

La sección con la lista de invitados y regalos sirve para el control de las participaciones e invitaciones, las confirmaciones de su asistencia, el registro de regalos que se han recibido y la verificación del envío de una pequeña tarjeta de agradecimiento. Aquí, se anotan las cotizaciones y precios del papel, la impresión, la rotulación y la mensajería, y en la bolsa se guardan las muestras.

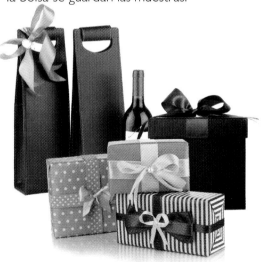

CEREMONIA CIVIL

La sección de la ceremonia civil sirve para el control de los trámites y documentos que hay que tener listos para el matrimonio civil. Es importante decidir si esta ceremonia se efectuará el mismo día que la religiosa u otro día; si el juez asistirá a una dirección privada o se realizará en el registro civil. Hay que tener en cuenta los costos que implica, además de los papeles solicitados.

CEREMONIA RELIGIOSA

La sección sobre la ceremonia religiosa debe contener los datos de las iglesias o capillas de su preferencia, sin embargo, debe tomarse en cuenta la distancia y el traslado de este lugar al sitio donde será la recepción. Aquí también deben anotarse los diferentes tipos de paquetes que se ofrecen, los costos, teléfonos y direcciones, así como datos de los oficiantes y otras personas que participan en la ceremonia, tales como las madrinas, los padrinos, las damas, los pajes, las niñas, etc. No olvide preguntar si el paquete incluye los adornos o no. Asimismo, tienen que incluirse los datos del transporte a la iglesia y los costos del lazo, las argollas y las arras.

RECEPCIÓN, ALIMENTOS Y BEBIDAS

En la sección sobre la recepción se pueden registrar los diferentes menús que ofrece cada servicio de banquetes, con sus precios exactos por persona –para adulto y niño– y por platillo, así como el precio de los salones, y lo que incluyen. Verifique si tiene estacionamiento y/o *valet parking*, si este servicio viene incluido o es extra. Averigüe las distintas alternativas de pastel, si lo ofrece el salón o se comprará aparte; los costos de las bebidas y cómo se distribuirán; pregunte sobre el servicio que ofrece el salón, o si usted lo contratará, infórmese sobre el horario de los meseros. El equipo de mantelería debe combinar con el atuendo de la novia, por lo que hay que tener cuidado al momento de ecogerlo. Pregunte al salón sobre los tipos de mesas y sillas que emplea o si pueden contratarse aparte, recuerde que la distribución es importante.

Si la recepción y los alimentos se van a hacer en casa, será posible estimar el costo de los ingredientes. En las bolsas se guardan los catálogos, presupuestos, fotografías y recortes de revista con ideas sobre la recepción y los pasteles.

ATUENDO

La sección del atuendo será una de las más usadas, pues hay muchas cosas que anotar y recordar. Haga una lista detallada de todo lo que incluye la vestimenta de cada uno de los integrantes del cortejo nupcial. Anote los teléfonos y direcciones del sastre, la modista o costurera, y de las tiendas para adquirir las cosas. Registre aquí la calidad y costos del vestido, el velo, la liga, el tocado, los zapatos, la lencería, la joyería, los ramos para el altar y para arrojar en la recepción, el peinado y el maquillaje. También anote los costos de la compra o renta del traje del novio, la corbata de moño, la camisa, el chaleco, la faja, las mancuernillas, la botonadura, la peluquería, los zapatos, los calcetines y la ropa interior. En la bolsa podrá guardar muestras de telas y listones, recortes de revistas con vestidos, tarjetas de renta de ropa de etiqueta, catálogos, etc. Es importantísimo tener toda esa información en un sólo lugar.

Vestido 1

Teléfono: 56 48 82 50

Dirección: Lago Andrómaco #21, Col. Ampliación Granada, Del. Miguel Hidalgo

Tienda: Cortes Franceses
Precio: $ 12 500

FLORES

Las bodas son celebraciones con flores. Con ellas se adorna el lugar donde se celebra el matrimonio civil, la iglesia, el lugar de la recepción y el transporte de los novios, en tanto que la novia lleva un ramo o dos, y algunas veces un tocado de flores, al igual que las niñas del cortejo.

Aquí, en la sección de flores se anotan los datos, propuestas y precios de cada florista con quien se entre en contacto, y en la bolsa se guardarán catálogos, tarjetas, muestras de papeles y cualquier otro material o servicio para la decoración de su boda.

MÚSICA

En la sección de música se recopilan los nombres, direcciones y teléfonos de los músicos o de los expertos en grabaciones, tanto para la iglesia como para la recepción. Aquí también se anota el nombre de las selecciones musicales que desee que toquen.

FOTOGRAFÍA Y VIDEO

La sección de fotografía le permitirá comparar los costos y calidades de distintos fotógrafos, tanto para la fotografía oficial de la boda como para el registro fotográfico y de video de la ceremonia y la recepción.

LUNA DE MIEL

Esta sección le ayudará a elegir la mejor opción para su luna de miel. Guarde aquí folletos e imágenes de los lugares a los que le gustaría ir. Busque en agencias de viaje y páginas web la información necesaria, como transporte, alimentos y bebidas, así como el idioma, clima, hospedaje, teléfonos y direcciones en general. No olvide hacer distintos presupuestos

CALENDARIO

Esta sección es la más importante para coordinar las diversas actividades en la preparación de la boda. Le ayudará a estar a tiempo en todo. Se llena con listas de las cosas específicas que hay que hacer en los meses, semanas y días anteriores a la boda. Al principio use una hoja para la lista de cada mes, pero en las últimas tres semanas use una hoja para cada día. Las listas se tienen que revisar y renovar constantemente.

REFLEXIÓN

Planee su boda con calma y disfrútela. Tome tiempo para pensar y soñar hasta el día de su boda. Primero visualice su boda tal como la ha soñado, sin poner límites de dinero. Piense en las bodas a las que ha asistido, en lo que le ha impresionado de ellas. Anote todo esto para recordarlo y tratar de incluirlo en la suya. Medite en cómo quiere que se sientan sus invitados y qué música le gustaría. Imagínese las flores y el vestido, ¿prefiere un diseño imperial, algo sencillo e inocente, o algo moderno y más atrevido? Hojee las revistas de novias, piense en los colores que le gustan para la decoración. Reflexione sobre a quién desea invitar y a quién quiere como madrina o como dama de honor. Sueñe, fantasee.

VARIOS

Aquí puede incluir algunos otros gastos no contemplados en las secciones anteriores, como los gastos de la cena para la petición de mano, las distintas posibilidades de recuerdo de bodas para los invitados y anotar pequeños detalles no considerados anteriormente.

Boda muy formal

La boda muy formal es un evento muy costoso y elegante al que normalmente se invita a más de trescientas personas, con una recepción en un gran salón, un gran jardín o una exhacienda. La novia generalmente lleva un vestido de cola con un velo completo, en tanto que el novio usa *smoking*, *frac* o *jaqué*. El cortejo lo forman la madrina, seis damas de honor, dos niñas con flores y dos niños que sostienen la cola, todos muy bien vestidos. Los invitados van vestidos de largo y etiqueta.

Las invitaciones, invariablemente grabadas, deben decir Etiqueta rigurosa e ir acompañadas por pequeñas tarjetas que invitan a la recepción. En bodas muy elegantes se incluye una nota que describe el repertorio musical de la ceremonia y quién lo interpretará. En las mesas de la recepción, frente a cada cubierto, discretamente, se incluye una tarjeta con el menú, que incluye platillos muy sofisticados.

Boda formal

A una boda formal se invita a más de cien personas. La novia y las madrinas llevan el atuendo clásico, y el novio viste *smoking* o traje negro. Los invitados suelen llevar **ropa** elegante, pero no necesariamente de largo. La recepción se hace en un salón, un jardín o en una casa grande con un banquete tradicional o de *buffet*, pues pocas casas particulares tienen el tamaño suficiente para acomodar a tanta gente en la mesa. Las invitaciones se graban o se imprimen en papel blanco sin que digan "Etiqueta rigurosa" y deben incluir las tarjetas para la recepción.

Boda semiformal

A las bodas semiformales se invitan de 50 a 100 personas, que deberán vestir elegantemente, pero no de largo. La novia suele llevar un traje clásico sencillo y el novio un traje negro. La recepción puede llevarse a cabo en un salón de fiestas, o bien en casa de los padres o de algún pariente.

Boda informal o íntima

Para este estilo de bodas se invita solamente a los parientes y amigos más cercanos. La novia se viste como lo desee, en tanto que las madrinas llevan un atuendo elegante, pero no necesariamente largo.

La recepción consiste en una comida, una cena o simplemente un brindis con algunos bocadillos en la casa de los padres o de algún pariente.

Ya que decidió el tipo de boda que quiere, comience a pedir precios de cada cosa para que al final tenga una idea clara. Esto puede empezar a poner nervioso a cualquiera, sobre todo si pertenece usted a una familia promedio. Puede pensar que ni con todos sus ahorros y grandes préstamos podrá tener la boda que soñó. Sin embargo, no se desanime, al final todo tiene una solución acorde a sus recursos.

Todo consiste en hacer una **buena planeación**, encontrar las alternativas posibles, que siempre las hay, y hacer un buen presupuesto. Claro que la cosa es más fácil si no hay limitaciones de dinero, pero si las hay, el apartado del **presupuesto** es fundamental.

Invitados y regalos

LISTA DE INVITADOS

Es recomendable no invitar a nadie, fuera de la familia cercana, hasta no tener una lista definitiva.

Cada uno de los novios y sus padres hacen una lista de las personas a las que les gustaría invitar. Dependiendo del número de invitados que el presupuesto permita, se reduce o agranda la lista.

Al hacer la lista se toma en cuenta en primer término a las personas a las que más se estima. Enseguida se agregan las personas a las que se debe invitar aunque no sean cercanas a las familias, como el jefe de la oficina o los compañeros de trabajo. Finalmente se incluye a las personas que vale la pena invitar, dependiendo del presupuesto y del tamaño de la boda. Recuerde que casi todos los invitados llevan pareja.

La lista generalmente se divide en tres partes iguales: una con los invitados de los novios, otra con los invitados de los padres de la novia y la tercera con los invitados de los padres del novio. Antes de iniciar la lista hay que especificar el número límite de invitados.

Cuando cada parte tiene su lista, se juntan con los novios para eliminar posibles repeticiones, hacer los ajustes necesarios y realizar una lista definitiva que, sin embargo, puede cambiar más adelante, porque aproximadamente a una quinta parte de los invitados les será imposible asistir.

Es importante tener la lista lo antes posible para poder diseñar las invitaciones, imprimirlas, entregarlas y llevar un registro exacto de las confirmaciones.

Para llevar un control de las invitaciones que se han rotulado, entregado y confirmado, es recomendable tener una sola lista en orden alfabético con los teléfonos, direcciones y nombre completo de cada uno de los invitados, así como de sus títulos.

Esa misma lista sirve para anotar los regalos recibidos con su descripción, y para llevar el control de las tarjetas de agradecimiento que los novios envían después de la boda, donde informan y ponen a la orden su nuevo domicilio.

Se recomienda imprimir 10% más de **participaciones** por si se tienen que hacer invitaciones de última hora.

PARTICIPACIONES O INVITACIONES

Las invitaciones a la boda, llamadas *participaciones*, se imprimen invariablemente en papel blanco o blanco crema. En las imprentas especializadas y en algunas tiendas departamentales tienen muestrarios de papel y sobres, además de tipos de letra para que escoja el que más le agrade, según su presupuesto.

Hay varias técnicas de impresión. La más tradicional, elegante y cara es la impresión en grabado en cobre con relieve. Con una calidad que se acerca mucho a la de un grabado, están las impresiones en serigrafía, cuyo precio es mucho más bajo, suelen también ir simplemente impresas, sin relieve. Algo mucho más económico, pero que puede quedar muy decoroso si se escoge el papel adecuado, es una impresión láser.

La participación más tradicional suele ser un papel grueso de buena calidad doblado a la mitad. En la parte exterior se acostumbra poner las iniciales del novio y la novia, al igual que en el sobre. En la solapa posterior del sobre de la participación se pone en la parte izquierda la dirección de la novia y en la parte derecha la dirección del novio, para que quienes quieran mandar un regalo lo hagan a la dirección de la familia con la que tengan mayor relación.

Cuando es difícil ubicar la dirección en donde será la ceremonia o la recepción, se acostumbra incluir un plano o diagrama muy claro con las indicaciones necesarias para llegar sin contratiempo.

En las imprentas, antes de hacer todas las impresiones, entregan una prueba o muestra que hay que revisar con mucho cuidado para que todos los datos vayan correctos y no haya errores de imprenta.

ROTULACIÓN

Los sobres de las participaciones, también blancos del mismo tono que las participaciones, deben ir rotulados con letra manuscrita en color negro. Este trabajo lo puede hacer algún conocido que tenga bonita letra o encargarlo a un calígrafo especializado en este tipo de tareas. Solamente se escribe el nombre de los invitados, sin su dirección, y en la esquina inferior derecha la leyenda Presente. Los nombres se escriben completos, sin abreviaturas. Por ejemplo: Señor Eduardo López y Señora.

En la hoja interior del lado izquierdo, los padres del novio participan el enlace de su hijo.

En el lado derecho hacen lo propio los padres de la novia.

Antonio López Cano
Elvira Saldívar de López

Federico Díaz Mirón
Elisa Covarrubias Torres

Participan el próximo enlace matrimonial de su hijo Pedro López Saldívar con la señorita Amparo Díaz Covarrubias y se complacen en invitarlo a la ceremonia que se efectuará el 12 de mayo a las 13:00 horas en la iglesia del Espíritu Santo, en Coyoacán.

Hay dos formas tradicionales de hacer la redacción:

Antonio López Cano
Elvira Saldívar de López

Participan el próximo enlace de su hijo Pedro con la señorita Amparo Díaz Covarrubias y se complacen en invitarlo a la ceremonia que se celebrará el 12 de mayo a las 13:00 horas en la iglesia del Espíritu Santo, en Coyoacán.

Federico Díaz Mirón
Elisa Covarrubias Torres

Participan el próximo enlace de su hija Amparo con el señor Pedro López Saldívar y se complacen en invitarlo a la ceremonia que se celebrará el 12 de mayo a las 13:00 horas en la iglesia del Espíritu Santo, en Coyoacán.

Federico Díaz Mirón
Elisa Covarrubias Torres

Antonio López Cano
Elvira Saldívas de López

Participan a usted el próximo enlace de sus hijos

PEDRO Y AMPARO

y se complacen en invitarlo a la ceremonia que se celebrará el

12 de mayo / 13:00 horas / iglesia del Espíritu Santo, en Coyoacán.

Cuando uno de los padres es viudo o se ha divorciado, entonces solamente él participa el enlace.

En algunas ocasiones son los novios, y no los padres, los que hacen la participación.

Pedro López Saldívar

Amparo Díaz Covarrubias

Participan a usted su enlace matrimonial que tendrá lugar el 12 de mayo a las 13:00 horas en la iglesia del Espíritu Santo, en Coyoacán.

Se acostumbra que las participaciones vayan acompañadas de unas pequeñas tarjetas en las que se indica el lugar donde será la recepción, aclarando que la invitación es personal. En el extremo inferior derecho se suelen poner las iniciales R.S.V.P., que en español quiere decir "responda por favor", para que los invitados confirmen su asistencia. Junto se indica el teléfono al que pueden hacerlo. El número de estas tarjetas debe ser igual al número de personas que desee invitar a la recepción, las cuales deberán presentarla a la entrada del salón para poder llevar un control.

Cuando después de la boda no hay festejo, en cada sobre se debe incluir una pequeña tarjeta con la leyenda "No habrá recepción".

Para las bodas informales no se incluyen tarjetas para la recepción porque a los invitados se les invita personalmente o por teléfono.

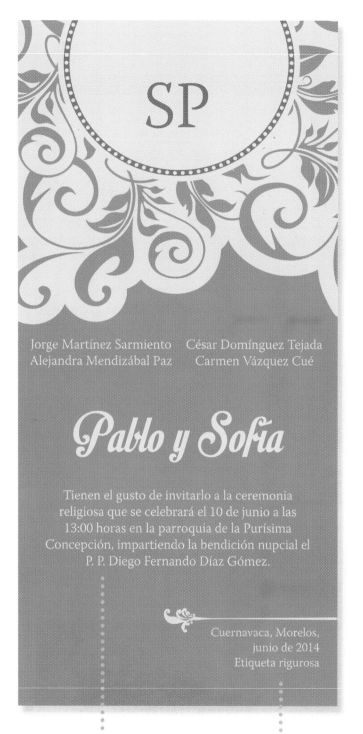

Jorge Martínez Sarmiento   César Domínguez Tejada
Alejandra Mendizábal Paz   Carmen Vázquez Cué

Pablo y Sofía

Tienen el gusto de invitarlo a la ceremonia religiosa que se celebrará el 10 de junio a las 13:00 horas en la parroquia de la Purísima Concepción, impartiendo la bendición nupcial el P. P. Diego Fernando Díaz Gómez.

Cuernavaca, Morelos, junio de 2014
Etiqueta rigurosa

Después de la ceremonia religiosa lo esperamos en el Salón Los Faisanes, ubicado en Reforma 5, colonia Bellavista.

Personal

R.S.V.P.
55 44 96 13

No habrá recepción

En algunos casos también se pone el nombre del sacerdote que celebrará el sacramento.

Cuando se trata de bodas muy formales, en la parte inferior se pone la leyenda "Etiqueta rigurosa".

REPARTICIÓN

El sobre debe ir abierto, ya que se acostumbra que lo entreguen a mano los propios novios con la ayuda de los familiares o de un servicio de mensajería, unas cuatro o seis semanas antes de la boda.

También se acostumbra sellar los sobres con lacre con un grabado de las iniciales de los novios, o bien algún emblema con el que se sientan identificados.

Si se opta por el servicio de mensajería, el sobre con cada participación se mete en otro sobre en el que sí se pone la dirección del invitado, a la vez que se entrega una relación para que firmen de recibido. Conserve usted una copia. Cuando termine la repartición pida al servicio de mensajería que muestre el registro con las firmas de quienes las recibieron.

A fin de que las participaciones no se maltraten o ensucien durante el proceso de entrega, conviene que las guarde dentro de una bolsa de plástico transparente.

Solamente las participaciones para las personas que viven fuera de la ciudad se envían por correo, pero siempre dentro de otro sobre cerrado con la dirección y el remitente.

Conviene que dos semanas antes **llame por teléfono** a aquellas personas que no hayan confirmado ni negado su asistencia, para que usted pueda estimar el número aproximado de personas que asistirán, aunque hay un cierto número que a pesar de haber confirmado, finalmente, por alguna razón, no podrán ir. Si espera invitados de otra ciudad, procure ayudarlos a arreglar su hospedaje.

Regalos

Después de la boda, al regreso de la luna de miel, cuando la pareja se ha instalado, se acostumbra enviar una nota de agradecimiento por los regalos y las atenciones recibidas, a la vez que se informa de su nuevo domicilio. La nota puede ser solamente para comunicar esto último. Generalmente se escribe los siguiente:

PEDRO LÓPEZ SALDÍVAR
AMPARO DÍAZ DE LÓPEZ

Agradecemos a

_____

las atenciones recibidas con motivo de nuestra boda, así como el regalo de

_____

Asimismo, nos ponemos a sus órdenes en nuestro domicilio, sito en Caballocalco 18, Coyoacán, con teléfono 1324185

Los espacios en blanco se llenan con letra manuscrita con el nombre de las **personas a las que se agradece** y la descripción del regalo. Por ejemplo: "un lindo centro de mesa de cristal". Abajo del texto impreso puede escribirse una nota más personal.

MESA DE REGALOS

Desde hace más de cien años se ha venido haciendo cada vez más común inscribirse en una "mesa de regalos" en alguna tienda especializada o en un almacén de departamentos. Esto, que es un servicio gratuito de las tiendas, tiene sus ventajas, pues los novios pueden indicar en la tienda los artículos o géneros de artículos que más necesitan o que más anhelan, y señalar objetos de muy diversos precios, para que los invitados puedan escoger su obsequio dentro de su presupuesto. La tienda lleva un control de los regalos, de manera que no se repitan.

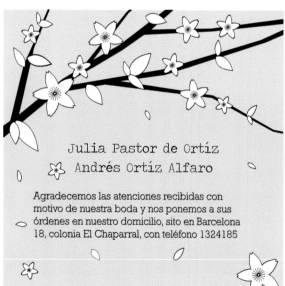

Julia Pastor de Ortíz
Andrés Ortíz Alfaro

Agradecemos las atenciones recibidas con motivo de nuestra boda y nos ponemos a sus órdenes en nuestro domicilio, sito en Barcelona 18, colonia El Chaparral, con teléfono 1324185

No se acostumbra entregar los **regalos** directamente el día de la boda, aunque mucha gente así lo hace. Generalmente se envían a la casa de los padres del novio o de la novia con unos días de anticipación.

Una mesa de regalos es particularmente útil cuando se trata de vajillas, cristalería o cubiertos, pues cada invitado puede regalar solamente un juego individual, sin tener que adquirir toda la vajilla, y entre doce parientes y amigos puede lograrse una mesa muy completa. Avise a sus familiares y amigos que se ha inscrito en una tienda para que ellos difundan la noticia.

Despedidas

Los regalos a los novios comienzan con las despedidas de soltera. Éstas son generalmente reuniones de mujeres, en casa de alguna de ellas, para que hagan regalos a la novia, aunque actualmente también los hombres tienen sus despedidas, y algunas veces hasta se juntan hombres y mujeres.

Para que las despedidas sean más divertidas se hacen juegos y bromas en torno al casamiento. Los obsequios a los novios en las despedidas son económicos comparados con los regalos formales que los invitados envían.

Generalmente, en cada despedida se escoge un tema para los regalos, que pueden ser artículos para el baño, objetos para la cocina, latería o cosas para la limpieza. En algunos casos, varias amigas cooperan para comprar algo más caro. Si la despedida es solamente de mujeres se puede regalar ropa interior.

La persona que ofrece la despedida, y la novia, elaboran juntas una lista de invitadas de entre las personas que también han sido convidadas a la ceremonia, a menos

que la boda sea muy íntima. Las despedidas suelen hacerse entre la familia, las amigas y las compañeras de trabajo.

Si se hacen varias despedidas, conviene no invitar a las mismas personas, a menos que se les advierta que sólo deben llevar regalo en una de ellas. Al día siguiente de la despedida, agradezca el regalo mediante una llamada telefónica. En agradecimiento puede usted hacer un pequeño obsequio simbólico a la anfitriona.

Las **despedidas de soltero** generalmente las pagan los mismos amigos que las organizan.

Atuendos

Los atuendos son una de las partes más importantes de las bodas, en especial el de la novia.

Hay que tener en cuenta la fecha y otros detalles para escoger la vestimenta adecuada.

ATUENDO PARA LA CEREMONIA CIVIL

Si los novios se van a casar por lo civil y por la iglesia, es posible que se tengan dos ceremonias, en días y lugares diferentes, con ropa distinta, aunque también suelen hacerse las dos ceremonias el mismo día, la civil antes de la religiosa, con lo que solamente se tiene una recepción y se usa un atuendo.

También ocurre que los novios solamente se casen por lo civil, en cuyo caso sólo hay una ceremonia y un atuendo. Si la ceremonia civil es muy formal, la misma indumentaria que aquí se menciona para la boda religiosa se acostumbra en la civil.

Pero si la boda civil se realiza días antes que la religiosa y se tiene alguna recepción, entonces la ropa de los novios y los padrinos puede ser diferente.

Una boda en un juzgado de paz se lleva a cabo generalmente durante el día y los novios acuden con ropa elegante de calle.

Sin embargo, es común que la boda civil se realice en la noche o tarde, en la casa de alguno de los novios. La novia suele ir elegante. Puede ir con un vestido de calle, de coctel o largo, con un pequeño corsage o un ramillete, sin velo.

El novio suele ir vestido con traje oscuro y en la noche puede optar por un *smoking*. Los testigos o padrinos suelen llevar una indumentaria semejante a la de los novios.

ATUENDO PARA LA CEREMONIA RELIGIOSA

Los detalles son esenciales para una boda inolvidable, por eso debe seleccionarlos con tiempo y hacer pruebas antes de decidirse definitivamente por alguno.

ATUENDO O AJUAR DE LA NOVIA

Sin duda, lo más emocionante para la novia es escoger el vestido que lucirá el día de su boda. Es probablemente el atuendo más vistoso que llevará en su vida y quedará como recuerdo en las fotografías. Nada de los preparativos de la boda se compara con el entusiasmo que produce elegir el vestido.

Para escogerlo es necesario saber la hora en la que se efectuará la boda, si el lugar es abierto o cerrado, y con qué presupuesto se cuenta. El atuendo depende de la formalidad de la boda y tradicionalmente incluye: el vestido, el velo, el tocado, la ropa interior, las medias, los zapatos, algunas alhajas, el ramo, y un rosario o un misal. Se usa también algo viejo, algo nuevo, algo prestado y algo azul.

Estilos

En las bodas clásicas muy elegantes, el vestido es largo con el velo completo y cola. De noche puede ser muy bordado y de preferencia con manga larga. Durante el día es preferible la manga corta y un bordado muy sencillo.

Cuando la boda es informal o íntima puede usar un vestido de novia muy sencillo, o bien un vestido de coctel o de calle, pero muy elegante. Si es una boda formal puede llevar medio velo, que suele ser corto.

{ Vestido y tipo de cuerpo

Escoja un vestido que favorezca a su tipo de cuerpo. Si es de hombros angostos, busto pequeño y cadera ancha, le convienen vestidos de mangas anchas que llamen la atención, escotes en V y talle a la cadera para alargar el torso, con falda amplia y larga, de modo que se establezca un balance entre la parte de arriba del cuerpo y la cadera. Evite los vestidos rectos y pegados, los adornos exagerados en la falda, y las mangas pequeñas y estrechas.

Si tiene un cuerpo proporcionado con el busto y la cadera del mismo tamaño y una cintura bien definida, le quedará casi todo tipo de vestidos.

Si tiene cadera y busto pequeño con una cintura poco diferenciada, hay necesidad de un vestido que le dé volúmenes, con cuellos amplios, generosos, para destacar sus hombros y el busto, con la parte superior con base pliegues y plisados que den volumen y faldas amplias, redondas, con velos y mucha tela. Evite los vestidos rectos pegados al cuerpo.

Si se tienen caderas anchas es mejor una falda voluminosa que las disimule.

Cuando se tiene un cuello corto conviene usar un cuello sin adornos con escote pronunciado que descubra el pecho y los hombros. Conviene llevar collares largos y aretes pequeños.

Cuando se tiene un **cuello largo** conviene usar gargantillas, aretes largos y ondulantes, y escotes altos y anchos.

Si sus brazos son gruesos debe usar vestidos con mangas estrechas. Puede usarse un escote que deje descubiertos el cuello y los hombros, pero que cubra la parte superior de los brazos.

Si los brazos son delgados es mejor usar mangas bombachas o con detalles que llamen la atención.

Cuando se tiene un busto grande es conveniente usar un soporte de varillas, escote pronunciado y un vestido poco ajustado, sin adornos en el pecho.

Si se es de poca estatura conviene un vestido liso y sencillo en línea A, angosto de arriba y que se amplíe conforme va cayendo, para que no la corten a la mitad, además de que un modelo así dará la ilusión de más altura, particularmente si usa un tocado alto.

Si es muy alta es mejor usar faldas con mucho volumen y gran vuelo, para cortar la verticalidad. Es mejor poner los tocados en la nuca o a los lados de la cabeza.

Si se tiene un busto pequeño es mejor escoger un vestido con adornos en la parte superior del frente, con mangas que llamen la atención, y si se quiere un brasier con relleno para curvear mejor el cuerpo, sin exagerar.

Cuando se es corpulenta lo mejor es un vestido de caída libre con falda de escaso vuelo, sin telas recargadas ni brillosas.

En cambio, cuando se es muy delgada puede resultar mejor un vestido con olanes o drapeados que no se pegue demasiado al cuerpo, porque de lo que se trata es de aumentar visiblemente su volumen.

Si se tiene cintura ancha es mejor usar vestidos con adornos o detalles no muy recargados en la parte superior, con una falda ondulada para disimular la poca cintura.

{ Compra o hechura del vestido

Antes de tomar la decisión del vestido, busque muchas opciones. Hágalo con unos seis meses de anticipación. Anote los precios, las ventajas y las desventajas de cada una de las opciones, y después decida la que más le convenga.

El vestido lo puede comprar ya hecho en una tienda de modas. Allí los especialistas en novias le sugerirán lo mejor para su tipo de cuerpo y al traje elegido le harán los ajustes que requiera probándoselo cuantas veces sea necesario, hasta que le quede perfecto. Ellos también le podrán hacer sugerencias sobre cómo arreglar su pelo y maquillar su cara.

Una alternativa considerablemente más barata es mandarlo hacer con una modista, copiando el modelo que más le haya gustado de las revistas, patrones y fotografías de novias que haya revisado.

Algo todavía más barato es hacer el vestido con una costurera o algún pariente que cosa bien. Como esto tiene sus riesgos, particularmente que se eche a perder la tela, lo que se recomienda es que se haga un vestido de prueba con una sábana vieja o una tela económica y cuando quede bien, después de los ajustes necesarios, se copia en la tela definitiva.

Trate de **no subir de peso** antes de que llegue la boda para que el vestido le quede muy bien y **procure no broncearse** en los días anteriores porque se puede resecar su piel.

Algo relativamente común cuando se trata de ahorrar es adaptar y personalizar el vestido de novia de la hermana o la prima, además de que es frecuente que se use el vestido que fue de la mamá. Si va a ajustar el tamaño de un vestido prestado, habrá que retornarlo exactamente como se lo prestaron. Recuerde que una vez rearreglado hay que mandarlo a la tintorería antes de devolverlo.

En el periódico, en las revistas de artículos de segunda mano y en las especializadas en novias, aparecen anuncios de vestidos que no se usaron nunca porque se deshizo el compromiso, o vestidos que se usaron una sola vez y que por necesidad ahora se venden. Todos ellos se pueden arreglar de la cintura y las mangas para actualizarlo a la moda y adaptarlo a su propio cuerpo.

Telas

Existen muchos tonos de blanco, como el blanco hueso, el blanco marfil, el blanco salmón, etcétera. En los vestidos de novia rara vez se usa el blanco total. Escoja aquel tono que mejor le vaya a su piel.

En la confección de los vestidos de novias se usan telas transparentes, sedosas o lustrosas. Entre las telas transparentes las más usadas son el chiffon, la seda china, el crespón de seda, la organza, el velo y el organdí.

El *chiffon* es una tela muy ligera, poco tupida, transparente, acresponada, de seda o de nylon.

El *crespón* de seda es una especie de gasa muy ligera en la que la urdimbre está más retorcida que la trama.

La *organza* es una especie de velo de seda que se usa frecuentemente como fondo o forro de vestidos con telas suaves.

El *velo* es una tela transparente con un tejido muy regular, ya sea seda natural o artificial.

El *organdí* es una muselina delgada de algodón, lino o seda, poco tupida y con apresto suave.

El *gazar* es una seda natural muy fina, pero a la vez tiene caída perfecta para una falda muy larga con cola. Hay de diferentes grosores, aunque la textura es siempre suave al tacto.

MARFIL

BEIGE

SALMÓN

PERLA

CHIFFON

CRESPÓN

ORGANZA

ORGANDÍ

Las telas sedosas y lustrosas están hechas con fibras de seda natural o fibras sintéticas que se ven como la seda, tales como el poliéster, el nylon, el rayón y el acetato.

Este grupo de telas incluye el *crepé de China*, que se hace de seda natural o artificial. Es una clase de crespón en que los hilos de la urdimbre y de la trama, por estar muy retorcidos, producen en la tela terminada un aspecto de enchinado.

El *satín*, *satén* o raso es una tela de seda artificial o natural suave, con una textura brillante por el derecho y mate por el revés.

El *satín crepé* es una tela que combina una cara brillante y otra mate, y las dos se pueden usar.

La *falla* es una tela tupida un poco tiesa, a menudo tornasolada, originalmente de seda natural, pero ahora también de seda artificial.

El *tisú* o *lamé* es una tela de seda entretejida con hilos de oro y plata.

La *tafeta* es una tela fina y tupida, brillante, algo tiesa, crujiente, de seda natural o artificial.

La *tafeta con moaré* es una tafeta que se ha pasado a través de unos rodillos calientes para dejar unas marcas como de agua en su textura.

El *brocado* va del ligero al pesado, con dibujos en relieve. Algunas veces los brocados tienen hilos metálicos.

El *shantung* es una tela de seda cruda con textura irregular.

MUESTRAS

Encajes

Además de las telas antes mencionadas, en la hechura de los vestidos de novia se usan muchos encajes y bordados. Los más usados son los encajes de alenson, que tienen motivos delineados con hilo satinado sobre una base transparente.

El encaje es un tejido ornamental, transparente, formado por mallas, lazadas o calados, con flores, figuras geométricas o figuras artísticas que se hace con bolillos, agujas de coser, de gancho, etc. o a máquina.

El *encaje de chantilly* tiene delicados motivos florales trabajados sobre un fondo muy ligero, delineados con hilos de seda.

El *encaje de pelo de ángel* es una forma de encaje de chantilly hecho con un hilo flojo para tener una textura más suave.

El *encaje de Venecia* está hecho con hilos pesados y puntadas únicas que le dan una textura tridimensional, más de un bordado que de un calado. Un hilo delgado une los motivos entre sí.

Piqué es una tela de algodón o poliéster y algodón que tiene unos dibujos o diseños calados y bordados.

El *punto de espíritu* es una red abierta o un tul fino con pequeños puntos bordados.

El *encaje Schiffli* es una tela transparente bordada con una máquina Schiffli que imita las puntadas del bordado.

Zapatos

Los zapatos de novia son blancos, del mismo tono que el vestido, y en ocasiones van forrados con la misma tela. Es muy importante que antes de la boda los use para hormarlos y que sus pies se acostumbren a ellos, pero cuide de no ensuciarlos.

Joyería

Las novias deben llevar pocas joyas, generalmente sólo unos aretes y un collar de perlas. Algunas veces suelen llevar un brazalete y algún anillo.

Medias

Las medias suelen ser blancas, beige o color carne, y es conveniente pedir a una de las madrinas que le lleve un par de repuesto por si se le llegan a romper.

Guantes

Los guantes son optativos, según el estilo del vestido. Al igual que los velos, los guantes pueden ser largos, medianos o cortos. En ocasiones se usan guantes con las puntas de los dedos libres.

Velo y tocado

Es importante que el velo y el tocado combinen con el vestido. El velo puede ser largo, mediano o corto, y es conveniente que se adapte a su rostro y peinado.

Peinado y maquillaje

Para el día de la boda se acostumbra contratar a una estilista y a una maquillista que pueden ir al lugar donde se encuentre, o bien, acudir al salón de belleza. También lo puede hacer algún familiar de la novia, en cualquier caso, es conveniente ver modelos y ensayarlos una o dos semanas antes, para que esté segura de que le gusta lo que le hacen y que haya armonía con el tocado y el vestido. Debe de tener en cuenta el tipo de flores que utilizará y si quiere que formen parte del peinado, avísele al estilista o a quien vaya a peinarla.

Unos días antes hágase manicure y pedicure, de preferencia elija colores discretos y en armonía con su atuendo

Algo viejo, algo nuevo, algo azul...

Por tradición, en el atuendo de novia se usa algo nuevo y algo viejo que simbolizan el paso del viejo estado de soltería al nuevo estado conyugal, por lo regular la familia de la novia, en especial la madre, es quien proporciona estos elementos. Usar algo prestado significa la aprobación y participación de la comunidad; y por último algo azul, que se considera un símbolo de pureza, amor y fidelidad, generalmente es una liga en la media, obsequiada también por la familia.

Atuendo del novio

En una boda clásica muy formal el novio debe vestir de *jaqué*, si es durante el día, y de *frac* si es durante la noche. El atuendo completo lleva una camisa de etiqueta con botonadura y mancuernas especiales, faja y corbata.

Si la boda es formal, el novio lleva *smoking* durante la noche o traje oscuro durante el día.

El traje para el novio puede ser mandado hacer con un sastre, comprado en una tienda especializada, o bien alquilado en una casa especializada en el alquiler de ropa de etiqueta.

Cualquiera que sea el estilo de la boda o la hora del día, el novio debe llevar un ramillete de azahar en la solapa.

En una boda semiformal o informal basta con un **traje oscuro**.

Padres, madrinas, damas, niñas y pajes

La madrina o madrinas y las damas, si las hay, deben llevar vestidos que armonicen con el estilo del vestido de la novia, todas ellas con tonos parecidos y colores conservadores y agradables para lograr una armonía.

En primavera se usan tonos tenues y en invierno tonos más vivos.

Cuanto más sencillos sean sus vestidos, más elegante lucirá la boda.

Cada madrina lleva un vestido diferente, en tanto que las damas deben usar un vestido igual que combine con el estilo de la boda.

Aunque la novia tiene la decisión final, conviene que se escuchen las opiniones que tienen las madrinas y las damas sobre el vestido que usarán, ya que ellas mismas lo pagarán.

Para la madre y para la suegra se recomiendan colores conservadores como el azul, el verde seco, champaña, gris o rosa. Conviene que la madre de la novia y la del novio se pongan de acuerdo en lo que vestirán. Nunca deben acudir con un vestido ni más largo, ni más elegante que el de la novia.

Las niñas que participen en el cortejo deben vestir de blanco con adornos de algún color tenue, y flores y listones en el pelo.

Los niños o pajes suelen llevar un traje blanco.

Anillos y arras

Es necesario que los novios manden a hacer y a grabar sus anillos o alianzas con tiempo suficiente. En el interior de cada aro se graban las iniciales de cada uno de los esposos y la fecha de la boda.

Tanto los anillos como las arras por costumbre son entregados sobre un cojincito que se puede comprar o mandar hacer.

Flores

Las bodas están entre las ceremonias que más flores emplean. En la boda civil la novia suele llevar un *corsage* o ramillete pequeño colgado del vestido; en la iglesia lleva el ramo de novia y otro más que arroja a las jóvenes solteras al término del banquete; en su cabello lleva el tocado, generalmente de flores frescas. El novio lleva en la solapa un pequeño ramillete de azahares.

También el automóvil nupcial lleva uno o varios arreglos con flores y listones.

Además, la iglesia se decora con flores en la entrada, en el altar, en las ventanas, en las bancas y en el camino a la nave central.

El lugar de la recepción también se decora con flores. En cada mesa se pone un arreglo como centro. También se adornan las puertas, las escaleras, los arcos, el pastel y hasta el cuchillo para cortarlo.

Algunas veces los ramos y tocados para la novia, las damas y las niñas se contratan con la misma casa que hace los vestidos.

En ocasiones a las damas que se registran en el libro de invitados se les obsequia un pequeño ramillete.

Igualmente, los arreglos florales de la iglesia pueden quedar incluidos al contratar el templo, y los arreglos florales de la recepción pueden realizarlos quienes proporcionan el banquete.

Sin embargo, otras veces se contratan aparte, con una casa de floristas especializada en este tipo de eventos.

Si no sabe de ninguna florería, pregunte a sus amistades o busque en el directorio telefónico. Pida varios presupuestos y compare. Hay desde las que hacen arreglos muy elegantes y estilizados, con flores exóticas e importadas, hasta aquellas que hacen arreglos sencillos, con flores de temporada que resultan mucho más baratos.

Las flores que se usan con más frecuencia son:

Rosa

Tulipán

Clavel

Alcatraz

Azucena

Lavanda

Gladiola

Agapando

Iris

Gerbera

En la actualidad, las flores blancas ya no son la única opción que se tiene para adornar las bodas. Las flores de colores como las gladiolas, lavandas, tulipanes, etc., han ganado espacio en estos evenos haciéndolos más vistosos.

En vez de mandar hacer los arreglos con una florería, puede comprar las flores en el mercado con unos días de anticipación y con un poco de imaginación, ayudar a preparar sus arreglos con un ahorro considerable. La mayoría de las flores duran frescas poco más de una semana. En un manual de esta misma colección dedicado a los arreglos florales, encontrará usted sugerencias de cómo hacerlos usted mismo.[1]

Los recipientes para los arreglos también los puede comprar en las florerías del mercado, al igual que las bases para los ramos de la novia y las damas, y para los adornos del auto nupcial.

Los ramos y los ramilletes se hacen con un día de anticipación y se refrigeran.

Tanto para hacer los arreglos como para decorar la iglesia y el lugar de la recepción, necesitará algunos ayudantes. Procure hacerlo desde el día anterior. Puede usted optar por llevar los arreglos ya hechos o llevar las flores y prepararlos allí mismo.

Si la novia es alta se recomienda un ramo largo, y uno corto si no lo es. Si la iglesia tiene un techo alto, como suele ser, use flores con tallos largos. Otra forma de hacer los arreglos es con flores artificiales, ya sea de seda o de papel.

Si la boda es de noche lucirán más las flores blancas; si es de día, particularmente en el exterior, resultará mejor emplear flores de colores.

[1] Puede encontrar sugerencias de cómo hacer arreglos florales en Luis Lesur, *Manual de arreglos florales. Una guía paso a paso*, Trillas, México.

Música

En una boda no puede faltar la música. Se necesita para la ceremonia, tanto para la procesión de la marcha nupcial como en la misa. Una selección cuidadosa de la música para la ceremonia le puede dar un realce memorable. La diferencia entre una recepción aburrida y una alegre, divertida e inolvidable, puede ser una acertada elección del acompañamiento musical.

MÚSICA EN LA IGLESIA

Muchas veces las iglesias tienen sus propios músicos. Averigüe dónde se ubicarán y el tipo de instalaciones que tiene la iglesia. Escúchelos semanas antes de elegir. Si se decide por los músicos de la iglesia, pregúnteles qué música pueden interpretar y cuáles son sus ideas. Póngase de acuerdo con ellos.

Si prefiere otro grupo musical o había pensado en algo diferente, platique con el párroco para ver qué es lo que finalmente se puede hacer, porque algunas parroquias tienen restricciones respecto a la clase de música que se puede tocar, mientras que otras son muy liberales en ese sentido.

Puede contratar un cuarteto de cuerdas, un organista, un arpista, un solista, un dúo, una estudiantina, un coro o hasta un mariachi, pero escúchelos antes de tomar la decisión. Con un presupuesto muy reducido es mejor contratar la música grabada, con la ventaja de que contará con muy buenos ejecutantes, si es que el templo o quien contrate tiene un buen equipo de sonido.

Familiarícese con las piezas tradicionales para las bodas. El acompañamiento musical de la boda en la iglesia se suele dividir en cuatro partes: preludio, procesión, ceremonia y salida.

Los preludios se tocan desde que comienzan a llegar los invitados hasta un poco antes de que la madre de la novia haga su entrada, en ese momento entra la marcha nupcial. Los preludios más escuchados en las bodas son *Airoso* de Bach, *Larghetto* de Händel y *Adagio* de Liszt.

La *Marcha nupcial* de Mendelssohn se toca durante la procesión a través de la nave hasta llegar al altar, momento en el que se detiene para dar lugar a la ceremonia. Algunas otras alternativas musicales para la procesión son el *Aria en Fa mayor* de Handel y la *Marcha en Si* de Purcell.

Durante la ceremonia se acostumbra tocar el *Ave María* de Schubert y muchas otras piezas de corte romántico, como *El amor perfecto* de Barnby, *Te amo* de Grieg y *la Marcha Real Española*, aunque en algunas bodas se utiliza música más moderna, como la balada romántica.

Durante la salida se tocan la *Danza Rusa* de Tchaikovsky, la *Toccata de la Quinta Sinfonía* de Widor o *Pompa y Circunstancia* de Elgar.

MÚSICA EN LA RECEPCIÓN

La música es fundamental para ambientar la recepción. De ella depende que la gente baile y esté más contenta. Por ello, para la recepción se contratan conjuntos que tocan principalmente música moderna, alegre y bailable. Muchos de estos grupos tienen cantantes y ejecutantes que son verdaderos animadores y hasta maestros de ceremonias.

En el lugar de la recepción tome en cuenta el sitio donde se ubicarán los músicos. Ellos requieren por lo menos una hora para instalar su equipo.

Con anticipación elija el lugar para la pista de baile.

La música comienza desde que llegan los invitados, pero al entrar los novios se toca la Marcha nupcial.

Luego, durante la comida o la cena se toca música tranquila y romántica, cada vez más alegre. Al llegar el momento en que los novios van a bailar, tocan la pieza que ellos hayan seleccionado para tal momento, y posteriormente continúan con piezas para bailar, que prosiguen después del brindis, para que todos los invitados participen, aun cuando los novios ya hayan partido.

Fotografía y video

En las bodas se acostumbra tomar dos tipos de testimonios fotográficos. Lo que se pudiera llamar la fotografía oficial de la boda, que hace un fotógrafo especializado y se coloca en un marco para exhibirse en la sala de los novios, y probablemente en la de los padres y algún otro familiar.

El otro es un recuerdo fotográfico de las ceremonias y la recepción, más informal que la fotografía oficial, y que luego se guarda en un álbum para compartir primero con los amigos y familiares, y posteriormente con los hijos.

Adicionalmente, a estos dos recuerdos se suma el del video, que consiste en la filmación de los momentos culminantes de la boda, grabados con el sonido original y que constituye un recuerdo mucho más vivo de todos los acontecimientos.

FOTOGRAFÍA OFICIAL

Si no tiene en mente un fotógrafo para este recuerdo, consulte con sus amistades, fíjese en los retratos oficiales de personas cercanas que se hayan casado hace poco. Busque también en el directorio. Haga citas para conocer el estudio y el trabajo de cada uno de los que le resulten atractivos de primera intención.

Asegúrese de que sea puntual, tenga experiencia en bodas y que sus referencias sean recientes. Cuando vea el trabajo de cada uno notará que cada fotógrafo tiene su estilo particular.

Hay empresas que se encargan de todos los servicios, tales como la **fotografía oficial**, las fotos de recuerdo para el álbum y el video. Otras veces se contrata por un lado la fotografía oficial, y por otro el recuerdo fotográfico y de video.

Es importante simpatizar con el fotógrafo para que al momento de hacer las fotos, los novios, en particular la novia, se sientan más a gusto.

Pregunte por los diferentes paquetes que ofrece y externe sus ideas, discuta con el fotógrafo el concepto visual que le gustaría.

Tradicionalmente las fotos se hacen antes de la ceremonia religiosa. Los escenarios los puede sugerir el fotógrafo o los novios, todo dependerá del lugar donde sea la boda.

FOTOGRAFÍAS DEL RECUERDO

El video y el registro fotográfico de la boda se hacen directamente en la iglesia y en la recepción con la luz ambiente o con la ayuda de algunas lámparas pequeñas. Comienza con la llegada de la novia, la procesión, la misa, el casamiento y la salida de la iglesia, en cuya puerta se acostumbra que los novios se retraten con los integrantes del cortejo y con los parientes y amigos más allegados.

El resto de las fotografías se hacen durante la recepción, con tomas tanto de los novios como de sus invitados, de modo que se conserva un bello recuerdo de todos los que los acompañaron ese día.

Al contratar las grabaciones en video pregunte si el costo incluye la grabación original, la edición y el número de copias.

Una opción para ahorrar dinero es pedir a los invitados que tomen fotos de la boda. Ellos pueden captar cosas interesantes.

PUBLICACIÓN EN PERIÓDICO

A muchas personas les agrada publicar su boda en las secciones de sociales. Para ellos hay dos caminos. Uno es acudir al periódico o revista para decirle que tal día en tal parte se casan y que les encantaría que hicieran una reseña. El otro camino es llevar una o varias fotos con una reseña de lo que fue la boda, al diario o revista. Es importante preguntar si el servicio tiene algún costo.

Boda civil

La boda civil es la que da validez legal a un matrimonio. La lleva a cabo el juez del Registro Civil.

El trámite para la boda civil comienza al pedir en la Oficina del Registro Civil que corresponda al domicilio de uno de los novios, una solicitud de matrimonio que los novios deben llenar.

Además de este documento, los novios deben anexar sus respectivas actas de nacimiento certificadas, cartilla militar del novio, una constancia de examen médico prematrimonial, que tiene una vigencia máxima de 15 días, comprobante de domicilio de cada uno de los novios y una identificación con fotocopia. Si alguno de los novios es extranjero, necesita previamente un permiso de la Secretaría de Gobernación.

También es necesario que el día de la boda civil cada uno de los novios lleve dos testigos como mínimo, los cuales deben dar sus datos generales y llevar una identificación.

Existen dos regímenes de matrimonio: en sociedad conyugal y de separación de bienes.

Cuando la boda civil se celebra en una casa particular, generalmente se hace también una recepción. Si además de la boda civil se tendrá una boda religiosa, se acostumbra que la recepción sea más pequeña. Al terminar la ceremonia se hace un brindis con algún vino espumoso, que puede ser champaña o sidra, y luego, generalmente, se sirven bocadillos para evitar una cena formal.

Al término de la boda civil el juez entrega una boleta o constancia que días después podrá ser canjeada por el acta respectiva, o bien entrega el acta.

La **boda civil** se puede realizar en la misma oficina del Registro Civil o puede hacerse en alguna casa particular, para lo que previamente se ponen de acuerdo con el juez, quien cobrará una cuota especial por ese servicio.

Boda religiosa católica

La boda en una iglesia católica es la más frecuente en México. Generalmente se hace en la parroquia a la que alguno de los novios pertenece. Si se quiere hacer en otra iglesia se pide permiso al párroco.

SELECCIÓN DEL TEMPLO

Al escoger la iglesia tome en cuenta la cercanía que conviene que haya con el lugar donde será la recepción, para evitar que sus invitados se tengan que desplazar muy lejos en medio de un tráfico pesado.

En algunas iglesias los párrocos y su gente se encargan de los arreglos florales, pues habitualmente tienen varias ceremonias en un mismo día y no habría tiempo de cambiar flores en cada una. También hay templos que se encargan de la música pero, aunque resulta muy práctico, puede no coincidir con lo que se quiere.

Cuando se decida por una iglesia, hable con el párroco o con el sacerdote encargado de ella, exprésele su deseo de casarse allí y pregunte si está libre la fecha escogida y cuánto será el costo de la ceremonia. Si está de acuerdo, haga la reservación. Esto conviene hacerlo con seis meses de anticipación.

Al contratar los servicios de la iglesia póngase de acuerdo sobre la música y los arreglos florales para decorar la iglesia.

Son requisitos para casarse por la iglesia presentar el acta de nacimiento, la fe de bautismo certificada recientemente, boleta de confirmación, pago de los derechos y constancia de asistencia a las prácticas prenupciales. Además de esto es necesario presentar constancia del matrimonio civil, ya sea el acta o la boleta provisional que el juez de paz le entrega en el momento de la boda civil.

Al entrevistarse con el párroco pregunte cuándo son las pláticas prenupciales para que pueda asistir a ellas. Son impartidas por algún sacerdote y generalmente acuden varias parejas.

La parroquia de la iglesia donde se case deberá correr las amonestaciones con un mes y medio o dos de anticipación. Las amonestaciones consisten en hacer público durante la misa mayor los nombres de quienes quieren casarse para que si alguien conoce algún impedimento lo manifieste o denuncie. Algunas de éstas se publican en el boletín de la parroquia.

Posteriormente reúnase con el párroco y los padres de ambos novios para confirmar que no haya nada que impida la boda.

TRANSPORTE

La novia, acompañada de su padre, arriba a la ceremonia en un vehículo conducido por otra persona, generalmente adornado con listones blancos y uno o varios ramilletes de flores, con el asiento trasero cubierto por una tela blanca, tanto para ir acorde con la indumentaria de la novia como para que el vestido de la novia no se ensucie.

Este mismo vehículo se usa a la salida de la iglesia para transportar a los novios ya casados hasta el lugar de la recepción. Después, en otro vehículo sin adornos, el padrino los ha de llevar al lugar de donde deban partir para la luna de miel. Como vehículo nupcial se puede usar el automóvil propio, pedir uno prestado, rentar una limosina, un automóvil antiguo o una carreta. La madre y los demás miembros del cortejo deben llegar a la iglesia diez minutos antes que la novia y su padre.

CORTEJO NUPCIAL

El cortejo nupcial es el grupo de personas que acompañan a los novios al entrar a la iglesia. El cortejo varía según el estilo de la boda, pero tradicionalmente está integrado por los novios, la madrina o madrinas, el padrino y los padres de los novios. También suelen integrarse al cortejo las damas de honor, los pajes y unas niñas con canastas de flores.

La madrina es una persona con la que existe un gran cariño y un vínculo familiar. Ella es quien ayuda a la novia a vestirse, sostiene el ramo durante la ceremonia, entrega los anillos y las arras cuando lo pide el sacerdote, y coloca el lazo a los novios en el momento adecuado. Además, sirve como testigo de la boda religiosa y se encarga de que todo esté correcto a la entrada de la iglesia. Con frecuencia es quien ayuda a la novia a que se cambie de ropa después de la boda y cuida su atuendo.

En algunas bodas se tienen varias madrinas, una de ramo, otra de arras, una más de anillos y, finalmente, una de lazo. Es costumbre que las madrinas y las damas se reúnan antes de la ceremonia en la casa de la novia.

Como **padrino** se escoge a una persona de mucha confianza del novio. Sirve como testigo y auxilia a las madres de los novios durante la ceremonia. Cuando termina la recepción se encarga de transportar o acompañar a los novios a la recepción.

Se acostumbra que las damas sean algunas amigas o las hermanas menores de la novia y el novio, generalmente vestidas igual y con un ramillete de flores en las manos.

Niñas

Pajes

Padre de la novia
Novia

Novio
Madre de la novia

Padres del novio

Madrinas

Damas

Sacerdote

La procesión del cortejo nupcial comienza en la puerta de la iglesia, donde el sacerdote espera la llegada de los novios para iniciar la misa y luego administrar el sacramento del matrimonio. Él encabeza la caminata hacia el altar.

La familia de la novia, la madrina y las damas se sientan en las bancas del lado izquierdo, la familia del novio y el padrino, del lado derecho. Cuando el padre de la novia está ausente, es el hermano de la novia o algún tío quien se sienta junto a la madre.

Detrás del sacerdote entran las damas, seguidas de la madrina o madrinas. Tras ellas ingresan los padres del novio, con la madre tomada del brazo derecho del padre. Atrás accede la madre de la novia, tomada del brazo derecho del novio. Finalmente, pasa la novia, del brazo de su padre o de su padrino. Tras ellos entran los pajes sosteniendo la cola del vestido y las niñas con las canastas de flores. Todo el cortejo se inicia al compás de la marcha nupcial.

Al llegar al pie del altar, el novio espera a la novia, que le es entregada por el padre, con la bella costumbre de darle antes un beso y una bendición. La novia ocupa el lado izquierdo del reclinatorio y el novio, el lado derecho.

Dama
Madrinas

Madrinas
Dama

Padres
del novio

Padres de
la novia

Novio

Novia

CELEBRACIÓN DEL SACRAMENTO

Cuando hay varias madrinas, es la madrina de lazo la que cubre a ambos novios con el velo y les coloca el lazo nupcial cuando lo indique el sacerdote.

El lazo sobre los hombros de los novios simboliza la unión en matrimonio y el círculo que forma el lazo representa la continuidad del amor que no muere. En vez de lazo se puede usar una especie de rosario que forme un ocho.

Las arras son trece monedas que simbolizan el agradecimiento del novio por la dote de la novia y representan el apoyo económico que a partir de ese momento el varón dará a la dama. La madrina las entrega también sobre un pequeño cojín cuando se las soliciten.

Los anillos simbolizan las promesas que se hacen los novios al unirse en matrimonio. Se colocan en el dedo llamado anular porque los antiguos griegos pensaban que estaba conectado con el corazón por una vena, por lo que resultaba el apropiado para confirmar el enlace. Los anillos son entregados por la madrina sobre un pequeño cojín en el momento en que el sacerdote lo indica.

El velo que cubre el rostro de la novia durante la procesión y gran parte del acto significa modestia y respeto, y sirve para recordar lo sagrado del evento y que la relación física no se debe dar antes de la ceremonia.

Al término del sacramento los novios se dan un beso que simboliza el sello del matrimonio.

Al llegar al altar la novia entrega el ramo a la madrina, quien lo sostiene durante toda la ceremonia. El **ramo de la novia** significa fragilidad, pureza y una nueva vida.

Novios

Pajes

Niñas

Padres de
la novia

Padres
del novio

Madrinas

Damas

SALIDA DEL TEMPLO

Primero salen los novios. La novia camina lentamente por el centro de la nave mientras sonríe. Atrás van los pajes sosteniendo la cola del vestido y las niñas con las canastas de flores. Tras ellos marchan los padres de la novia, los del novio, las madrinas, las damas y los invitados.

Cuando la ceremonia termina, tradicionalmente la novia ofrece su ramo a la virgen y comienza la procesión de salida.

Los novios se detienen por un momento en la puerta de la iglesia para que les tomen fotografías junto a sus invitados.

Las niñas de entre seis y ocho años reparten arroz a los invitados para que los arrojen a los novios como símbolo de fertilidad. En años recientes, los pétalos de flores se han convertido en una alternativa que simboliza belleza, felicidad y prosperidad.

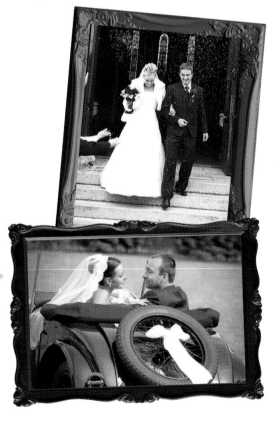

Después de recibir en el atrio las felicitaciones y los abrazos de los invitados, los novios suben al **vehículo nupcial** que los llevará al lugar donde será la recepción. También se acostumbra pasar antes con un fotógrafo profesional para que tome las **fotografías oficiales** de la boda.

Recepción

La boda estaría incompleta sin una fiesta, sin una recepción que es la forma de festejar el matrimonio. En ella se ofrece comida, bebida y música.

La recepción es quizá la parte más costosa de una boda, de modo que hay que tener mucho cuidado en la elección de la manera de llevarla a cabo. Como es una fiesta en la que se reúnen los familiares y amigos de dos familias, más los amigos de los novios, muchas veces resulta ser demasiada gente para recibir en una casa, de ahí que se busque un salón.

RECEPCIÓN EN UN SALÓN

Primero investigue los costos de los salones y de los servicios de banquetes. La mayoría de ellos incluyen las instalaciones, mesas, sillas, mantelería, cubiertos, cristalería, menús con diferentes platillos, meseros, servicio de estacionamiento y conocimientos profesionales.

Pida que le muestren los menús, las vajillas y los manteles. Puede contratar con ellos una comida o cena formal, un *buffet* o bocadillos. Pida que le coticen varias alternativas de cada uno de ellos.

Si la recepción es al aire libre es posible que requiera colocar una lona o una carpa por si llueve.

Tome el tiempo que sea necesario, solicite presupuestos detallados y no tome una decisión precipitada. Recuerde que un menú con platillos de alta cocina y vinos franceses puede resultar igual de delicioso y memorable para usted y sus invitados, que uno con mole, arroz, frijoles y vinos nacionales; y el agujero en el bolsillo será muy diferente.

Si se decide por este tipo de servicio lleve un control de la bebida entregando las botellas de licores y vinos contadas, y pida que le devuelvan tanto las vacías como las que no se utilizaron.

Si no conoce de alguno de estos servicios, pida que le recomienden algunos, busque en el directorio telefónico o en Internet, y haga citas. Visite los salones, **asegúrese de que estén bien las instalaciones** para la música, que tenga baños limpios, amplios y suficiente lugar para estacionamiento.

RECEPCIÓN EN CASA

Hacer una recepción en un jardín puede resultar muy bello y más barato. Hacerla en su hogar también es una solución práctica. Si su casa es pequeña, pida prestada una mayor a un pariente o a un amigo cercano.

Allí también puede contratar un servicio de banquetes que le haga todo, prepararlo con su familia o combinar ambas cosas.

Si su presupuesto es bajo puede hacer la comida o la cena con la ayuda de parientes. Claro que es más trabajo, pero piense en la alegría de la fiesta con todos sus seres queridos juntos, que es lo que importa.

Los alimentos se pueden preparar con días, semanas y hasta meses de anticipación si se congelan. Para guardar todo en congelador necesitará
la ayuda de sus familiares y amigos.

Rente o pida prestadas mesas, sillas, cubiertos, vajilla, vasos y copas. Decore las mesas con manteles blancos con un pequeño centro de flores. De noche use unos candeleros. Necesitará platones grandes para servir la comida.

Contrate meseros para que sirvan las bebidas y la comida. Es mucho trabajo, pero se puede organizar muy bien.

No olvide contratar una persona para que constantemente esté haciendo limpieza, y si es necesario algunas nanas para cuidar a los niños mientras los invitados disfrutan de la fiesta.

Una mesa de *buffet* se presta para un arreglo muy bello con flores de colores, flores de papel, papeles, velas y frutas. Puede tener un banquete que a la vez sea un deleite para la vista.

Un *buffet*, en el que todos los platones con comida se colocan sobre una o varias mesas para que los invitados pasen a llenar su plato ellos mismos, no es tan formal, pero no se requiere servir en las mesas.

BAILE

Después de comer, pero antes de servir el pastel, se acostumbra que los novios inicien el baile con la melodía que ellos hayan escogido. No es necesario que la pareja baile toda la pieza, pues el padre de la novia los puede interrumpir, en tanto que el novio saca a su madre. Enseguida bailan con la novia los hermanos, primos y amigos íntimos, luego el novio con su suegra, la novia con su suegro, al tiempo que el resto del cortejo nupcial los acompaña en la danza.

PASTEL

Seleccione el tipo de pastel que más le agrade. Visite varias pastelerías, pruebe el sabor y pida presupuestos. El pastelero le sugerirá el mejor tamaño según el número de invitados. Mándelo hacer con seis semanas de anticipación y asegúrese de que es el propio pastelero quien lo entrega, para que si se maltrata en el camino lo pueda arreglar.

Los pasteles pueden ser de varios pisos, en forma de corazón, redondos, cuadrados o rectangulares. Los hay muy secos, muy cremosos, con relleno o sin él, de chocolate, vainilla, moca, limón, durazno, etc. Se acostumbra que estén cubiertos con betún blanco, adornados con flores y listones, y ya sea las figuras de los novios en azúcar, un cupido, campanas u otro ornamento.

Se dice que el pastel simboliza las relaciones que se fundan al compartir el pan. Por eso los novios cortan juntos la primera rebanada. Ella toma el cuchillo y el novio pone su mano sobre la de ella. Sirven la rebanada en un plato y la novia toma el primer bocado y le ofrece al novio el segundo, como símbolo de que compartirán la vida juntos. Después, los meseros se encargan de servir a los invitados.

El pastel se coloca generalmente en una mesa central con tamaño suficiente para que además quepan el cuchillo y unos platos para servirlo.

DECORACIÓN

Independientemente del estilo de su recepción, el lugar se debe decorar para que tenga una atmósfera especial. Es una parte creativa y divertida de la preparación de la boda. Use plantas, flores, luces, globos, papel picado, guirnaldas, listones, velas, candelabros...

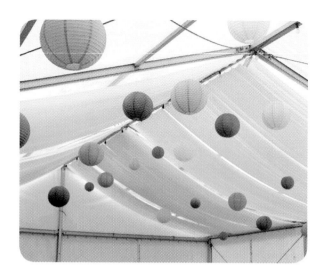

La decoración debe estar acorde con el vestido de la novia y tener una unidad estilística, que puede ser primaveral, otoñal, mexicana, etc., dependiendo de su gusto, el clima, el lugar y la hora del día.

BRINDIS Y DESPEDIDA

Después del pastel, cuando todos los invitados están sentados, se ofrece champaña o vino blanco espumoso, y algún pariente o amigo suele pronunciar un pequeño discurso dirigido a los recién casados. Luego todos brindan a la salud de los novios, que permanecen sentados. En ocasiones se acostumbra poner copas especiales a los novios.

Antes de abandonar la fiesta los novios forman un puente tomados de la mano para que las muchachas solteras pasen por abajo mientras se escucha la música que repentinamente para y la novia arroja un ramo, para que lo atrape alguna de ellas, quien, según la tradición, será la próxima en casarse.

Los bolos o recuerdos se reparten a los invitados durante la recepción. Usualmente son pequeños objetos con los nombres de los novios grabados. Una opción más económica puede ser regalar confituras de chocolate.

En el momento que lo decidan, los novios abandonan la fiesta para cambiarse de ropa y partir a la luna de miel. Se despiden de los padres, amigos y parientes más cercanos. El padrino es quien los conduce en el vehículo nupcial. En otras ocasiones los novios aparecen en la recepción ya con la ropa con la que se van de viaje, solamente para despedirse.

Para que los invitados puedan dejar un testimonio más de su presencia y un bonito recuerdo, se acostumbra colocar a la entrada o antes de la salida, una pequeña mesa con un **libro en blanco abierto con una pluma**, para que los invitados pongan su nombre y alguna frase de cariño y aliento.

Luna de miel

Se llama luna de miel porque en tiempos antiguos las parejas teutonas se casaban durante la luna llena y tomaban vino de miel por treinta días. Pero ahora simplemente significa el viaje de placer que los recién casados emprenden inmediatamente después de la boda.

Generalmente se trata de salir unos cuantos días a algún lugar de playa. Haga una lista de los lugares a donde le gustaría viajar de luna de miel. Luego, en una agencia de viajes consulte los costos o hágalo directamente. Anote los precios del transporte, los hoteles, la alimentación y estudie los paquetes que incluyen prácticamente todo.

En los viajes, como en todo lo demás, puede encontrar toda clase de precios. Si los destinos de playa están más allá de su presupuesto, busque otras opciones, como visitar ciudades coloniales o balnearios más cercanos y menos costosos.

Antes de salir de luna de miel y casi antes de salir a la boda se debe revisar que todo esté empacado. No olvide llevar su bolsa de mano con dinero, boletos, reservaciones, tarjetas de crédito, la dirección del hotel, el número de teléfono del agente de viajes y una cámara fotográfica. Tampoco olvide llevar lo que le haya recomendado el médico para la planeación familiar.

Calendario y
lista de actividades

{ EN EL AMOR, LAS PALABRAS SOBRAN }

Enseguida ponemos una lista de las principales actividades
que hay que realizar para preparar una boda.

Entre doce y seis meses antes

Cena para la petición de mano. _____

_____

Decisión de la fecha y hora de la boda. _____

Inicio del presupuesto, particularmente para saber con cuánto se cuenta.

_____

Decisión del lugar donde serán la ceremonia y la recepción. _____

_____

Reservación de la iglesia y el lugar de la recepción. _____

_____

Plática con el clérigo sobre los detalles de la boda y las pláticas
premaritales. _____

_____

Plática con el juez de paz para preparar el matrimonio civil. _____

Comienzo de la lista de invitados. _____

_____

Búsqueda del modelo para el traje de la novia, la madrina y las damas. ___

_____

Investigación de costos de los vestidos. _____

Investigación de los servicios de banquete. _____

_____

Si se planea la recepción en casa, iniciar los arreglos, la decoración y la
limpieza. _____

Búsqueda de un buen fotógrafo para la fotografía oficial. _____

_____

Investigación de costos de los arreglos florales. _____

_____

Búsqueda de músicos o grabaciones para la ceremonia y la recepción. ___

_____

Selección del transporte nupcial. _____

_____

Investigación de costos de los viajes de luna de miel. _____

_____

Elección del traje del novio, de las madres y de los padres de los novios.

_____

Entre seis y tres meses antes

Compra del vestido o inicio de su hechura._____

_____

Inscripción en una tienda departamental para la mesa de regalos.

_____

Lista definitiva de invitados. _____

_____

_____

Selección de la papelería e impresión de las invitaciones. _____

_____

Rotulación de las invitaciones. _____

_____

Contratación del servicio de banquete. _____

_____

Selección de la música para la ceremonia y la recepción. _____

_____

Contratación de los músicos. _____

_____

Planeación de los detalles para la luna de miel y reservaciones. Si es necesario, reservación en algún hotel cercano al lugar de la recepción para la noche de bodas. _____

_____

_____

Selección de la ropa para la luna de miel. _____

_____

Visitas a la modista para las pruebas de su vestido. _____

_____

Ordenar la hechura de los anillos. _____

_____

Elección de los padrinos y testigos. _____

_____

Dos meses antes

Confirmación de la fecha de entrega del traje de novia. _____
_____

Inicio del reparto de las invitaciones. _____
_____

Control de la invitaciones enviadas, los regalos recibidos
y los agradecimientos. _____
Inicio del arreglo de su nuevo hogar. _____
_____

Elección de las fechas para las despedidas de soltera. _____
_____

Preparación de los documentos para la boda civil. _____
_____

Cita con el médico para un examen completo
y consulta sobre planeación familiar. _____
Definición de los detalles para la recepción: comida, bebida, decoración,
pastel, libro de invitados. _____
_____

Contratación del fotógrafo. _____
_____

Un mes antes

Tener todos sus documentos en orden. _____

_____

Entrevista con personal del periódico si se quiere que anuncien su boda.

_____

Prueba final del vestido. _____

_____

Contratación del florista. _____

Búsqueda de hospedaje para los invitados que vienen de fuera. _____

_____

Prueba del maquillaje y el peinado que usará el día de la boda. _____

_____

Verificación de que todos los del cortejo tengan su atuendo listo. _____

_____

Pedido del pastel. _____

Contratación del transporte para la boda. _____

Repaso del procedimiento de la ceremonia y la recepción. _____

_____

Definición de los lugares que ocuparán los integrantes del cortejo. _____

_____

Confirmación de todos los servicios. _____

Plática con el clérigo para la presentación en la iglesia y
las amonestaciones. _____

_____

Dos semanas antes

Llevar los documentos al Registro Civil y llenar la solicitud para el matrimonio. _____

Visita a la oficina de la iglesia para verificar que estén satisfechos todos los requisitos. _____

Inclusión de los invitados que tardaron en confirmar para saber el número final. _____

Entrevista con los músicos para verificar que tengan las piezas sugeridas. _____

Arreglo de la mesa de regalos. _____

Conversación con la sección de sociales del diario que prefiera. _____

Arreglo del transporte de los regalos a su nueva casa. _____

Una semana antes

Tener a la mano el pasaporte y documentos para el viaje. _____
Manicura y pedicura. _____

Empaque para la luna de miel. _____

Colocación en un lugar de todo lo que necesitará para vestirse el día de la boda y para salir a su luna de miel. _____

Confirmación de que el carro nupcial y el conductor estarán a la hora adecuada. _____

Confirmación de que el padrino los acompañará en el carro nupcial al salir de la recepción. _____

Indicación a la madrina de que ella avisará a los padres cuando los novios vayan a retirarse, para despedirse de ellos. _____

Programa de las actividades de todos los involucrados en la boda. _____

Confirmación una vez más de la florista, del fotógrafo, etcétera. _____

Preparación de un estuche de emergencia con alfileres, aguja, hilo, pañuelos desechables, medias, lápiz labial, para que la madrina lo lleve a la iglesia y a la recepción. _____

Un día antes

Comprobación de que su equipaje está completo. _____
_____

Arreglo de su bolsa de mano con todos los documentos. _____
_____

Verificación de que sean llevados el vino, los licores y el pastel
al lugar de la recepción. _____

Elaboración de un horario para el día de la boda, que se coloca a la vista.
_____
_____
_____
_____
_____

Entrega a la madrina o madrinas de los anillos, las arras y el lazo. _____

Solicite que al día siguiente alguien le ayude a peinarse, maquillarse
y vestirse. _____

Descanso. _____
_____
_____

El día de la boda

Pedir a alguien que se encargue de poner una sábana blanca en el
transporte y una caja de pañuelos desechables. _____
_____

Pida a sus padres que le ayuden con lo demás. _____
_____

Disfrute, es su día. _____
_____

La publicación de esta obra la realizó
Editorial Trillas, S. A. de C. V.

División Administrativa, Av. Río Churubusco 385,
Col. Gral. Pedro María Anaya, C. P. 03340, México, D. F.
Tel. 56884233, FAX 56041364

División Logística, Calzada de la Viga 1132, C. P. 09439
México, D. F. Tel. 56330995, FAX 56330870

Esta obra se imprimió
el 30 de enero de 2014, en los talleres de
Editorial Progreso, S. A. de C. V.

EM 130 RW